MAY 22/19

D1456883

OTTAWA PUBLIC LIBRARY
BIBLIOTHÈQUE PUBLIQUE D'OTTAWA

Gallimard Jeunesse/Giboulées
Sous la direction de Colline Faure-Poirée

Conception graphique: Néjib Belhadj Kacem
© Gallimard Jeunesse, 2006
ISBN : 978-2-07-057677-7
Dépôt légal : mars 2008
Numéro d'édition : 159056
Loi n° 49956 du 16 juillet 1949
sur les publications destinées à la jeunesse
Imprimé en Belgique par Proost
Premier dépôt légal : Septembre 2006

Vivre seul
avec papa ou maman

Textes : Dr Catherine Dolto et Colline Faure-Poirée
Illustrations : Frédérick Mansot

GIBOULÉES
GALLIMARD JEUNESSE

Il arrive qu'on n'ait que son papa ou sa maman à la maison, parfois il y a des frères et sœurs, parfois on est seuls tous les deux.

Parfois les parents sont divorcés ou séparés, alors on va aussi chez l'autre parent, c'est un peu comme avoir deux maisons.

Mais quand les parents n'ont jamais vécu ensemble, ou sont très fâchés, il arrive qu'on ne voie jamais l'autre parent et c'est triste.

Ce qui est tellement triste que ça empêche de vivre, c'est quand on ne sait rien sur celui qui n'est pas là ou qu'on ne connaît même pas son nom.

Quand on y pense tout le temps ou qu'on en rêve, c'est mieux d'oser en parler même si on croit que ce n'est pas bien de le faire.

On aime beaucoup aller chez des amis qui ont toute une famille, mais quand il faut s'en aller c'est dur !

Quelquefois c'est lourd de n'être que deux, on s'étouffe un peu. Ça fait du bien d'avoir des activités séparées, et même de partir en week-end ou en vacances chacun de son côté.

Quand on sent que son papa ou sa maman sont tristes, on croit parfois que c'est de notre faute ou que c'est à nous de les consoler.

Évidemment ça n'est pas vrai, les enfants ne peuvent jamais remplacer le parent qui n'est pas là.

Souvent quand notre papa ou notre maman tombe amoureux de quelqu'un de nouveau, on commence par être jaloux et malheureux, ensuite on s'aperçoit que c'est bien mieux comme ça.

Heureusement il y a les cousins, les grands-parents, les oncles, les tantes, les marraines, les parrains, les amis. La famille de cœur est la plus grande de toutes les familles.

Dans la même collection :

1 Filles et garçons
2 Dans tous les sens
3 Des amis de toutes les couleurs
4 Bouger
5 la nuit et le noir
6 Les chagrins
7 Les bêtises
8 Moi et mon ours
9 Les gros mots
10 Les papas
11 Polis pas polis
12 Quand les parents sortent
13 On s'est adoptés
14 Vivre seul avec papa ou maman
15 Gentil méchant
16 Jaloux pas jaloux
17 Attendre un petit frère ou une petite sœur
18 Les mamans
19 Les câlins
20 Un bébé à la maison
21 À la crèche
22 Les colères
23 Les bobos
24 Les grands parents
25 Attention dans la maison
26 Mon docteur
27 Les doudous
28 Propre

29 Les cadeaux
30 Si on parlait de la mort
31 Respecte mon corps
32 Les parents se séparent
33 Pipi au lit
34 Tout seul
35 Ça fait mal la violence
36 Les premières fois
37 Protégeons la nature
38 Dire non
39 La télévision
40 Y'en a marre des tototes
41 Caca prout
42 La peur
43 Donner
44 Les mensonges
45 Les jumeaux
46 L'opération
47 L'hôpital
48 Les urgences
49 Chez le psy
50 L'amitié
51 La famille
52 La naissance
53 J'ai deux pays dans mon cœur
54 Juste pas juste
55 Changer de maison
56 La maternelle
57 *à paraître*
58 La honte